les bottes

le pu

la salopette

le tee-shirt

les sandales

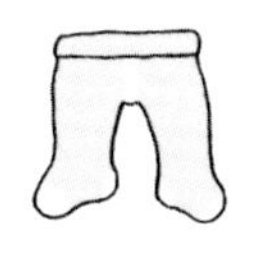

les collants

les baskets

le maillot
de bain

la robe

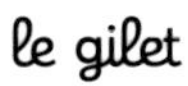

le gilet

la jupe

Un personnage de Thierry Courtin

Loi n°49-956 du 16 juillet 1949
sur les publications destinées à la jeunesse,
modifiée par la loi n°2011-525 du 17 mai 2011.

25 avenue Pierre de Coubertin, 75013 Paris
ISBN : 978-2-09-255808-9
Achevé d'imprimer en août 2016 par Legoprint SPA,
Viale Dell'Industria 2, 36100 Vicenza, Italie
N° d'éditeur : 10209222 - Dépôt légal : août 2016

T'choupi

a de nouveaux habits

Illustrations
de Thierry Courtin

Nathan

Ce matin, il fait froid : c'est le moment

d'essayer les habits d'hiver de T'choupi.

Allez, d'abord on enlève le 
pyjama

et les chaussons !

Pour commencer, T'choupi enfile un 

et c'est lui qui choisit des 

bien chaudes.

Mais quand T'choupi met sa  ...
chemise

elle est trop petite ! Et son  aussi.
pantalon

Papa rit :

– Tu as bien grandi mon T'choupi,

il te faut de nouveaux habits !

Maman arrive à ce moment-là,

emmitouflée dans son 

et son 

:

– Je dois acheter des habits pour Fanni :

tu veux venir avec moi ?

Vite, T'choupi se prépare : il enfile

sa . Comme il fait froid,

doudoune

il faut aussi mettre une

écharpe

et des  !

mouffles

Dans le magasin de 

,

il y a des 

et des

mais T'choupi a surtout besoin

de nouvelles chaussures pour courir !

T'choupi essaie des :

baskets

c'est la bonne taille.

– En plus, avec les scratchs, je peux

les mettre tout seul.

Allez, maintenant il faut trouver un 

pull

bien chaud pour l'hiver.

Voici un magasin de vêtements :

ici on trouvera sûrement tout ce qu'il faut

pour T'choupi et Fanni !

– Regarde ce joli gilet et ce jean ...

Ils te plaisent ?

T'choupi préfère essayer une 

bleue

et un 

rayé.

– Oh comme tu es beau mon T'choupi !

Au rayon sport, maman et T'choupi

choisissent aussi un nouveau 

maillot de bain

et un survêtement .

Maintenant, il faut s'occuper de Fanni :

– T'choupi, tu préfères cette 
jupe

ou cette ?
robe

– Hi-hi, elle est toute petite cette robe !

s'écrie T'choupi. Et n'oublie pas de lui

prendre aussi des tout petits 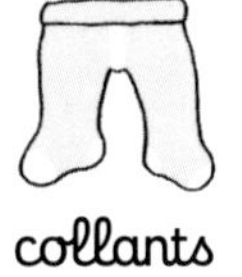 !
collants

Retrouve sur ce dessin tout ce que T'choupi a vu...

un pyjama
des chaussons
un slip
des chaussettes
un manteau
un bonnet
une doudoune
une écharpe
des moufles
des sandales
des bottes
un pull
un gilet
un jean
une salopette
un tee-shirt
un maillot de bain
une jupe
une robe
des collants

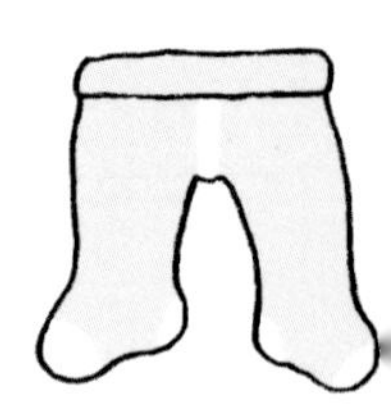